Ce livre appartient à :

_____

M. Peabody

Billy Little

Les pommes de M. Peabody

par

MADONNA
ŒUVRE ILLUSTRÉE PAR LOREN LONG

Éditions
SCHOLASTIC

UN LIVRE SIGNÉ CALLAWAY
2003

M. Peabody félicite ses jeunes joueurs pour l'excellent match
qu'ils viennent de jouer.

DANS LE VILLAGE D'HAPPVILLE

(qui n'était pas un très grand village), M. Peabody félicitait ses jeunes joueurs pour l'excellent match qu'ils venaient de jouer. L'équipe avait perdu, mais ce n'était pas grave car tout le monde s'était bien amusé.

M. Peabody enseignait l'histoire à l'école primaire et, pendant les vacances d'été, il organisait, chaque samedi, des matchs de baseball avec d'autres écoles de la région.

Billy Little (qui n'était pas très grand) était un des élèves de M. Peabody. Il avait une passion pour le baseball et une immense admiration pour M. Peabody. À la fin de chaque match, Billy aidait M. Peabody à ramasser les balles et les bâtons. Lorsqu'ils avaient terminé, M. Peabody lui disait avec un sourire : « Merci, Billy. Beau travail. À samedi prochain. »

Puis M. Peabody rentrait chez lui en empruntant la grand-rue (qui n'était pas une très grande rue). Au passage, il saluait de la main les gens qu'il connaissait et tout le monde lui rendait son salut. Arrivé devant la boutique de fruits de M. Funkadeli, il s'arrêtait toujours pour admirer les belles pommes. Il prenait alors la pomme la plus brillante, la mettait dans son sac et poursuivait son chemin.

Ce jour-là, sur le trottoir d'en face, Tommy Tittlebottom regarda avec curiosité M. Peabody partir avec sa pomme.

« C'est bizarre, se dit-il, M. Peabody n'a pas payé la pomme. »

Tommy remonta sur sa planche à roulettes et se hâta d'aller raconter ce qu'il avait vu à ses amis.

M. Peabody choisit la pomme la plus brillante.

Tommy et ses amis sont stupéfaits de ce qu'ils voient.

Le samedi suivant, l'équipe de M. Peabody joua un
autre match et perdit encore (comme d'habitude), mais
ce n'était pas grave car tout le monde s'était bien amusé.
Billy ramassa les balles et les bâtons, et M. Peabody
rentra chez lui en saluant de la main tous les gens qu'il
connaissait. Une fois de plus, il s'arrêta devant la boutique
de M. Funkadeli, prit la pomme la plus brillante, la mit dans
son sac et poursuivit son chemin.

Sur le trottoir d'en face, Tommy Tittlebottom et ses
amis furent stupéfaits de voir que M. Peabody était parti
sans payer la pomme. Ils allèrent tout raconter à leurs amis,
qui le répétèrent à leurs parents, qui le répétèrent à
leurs voisins, qui le racontèrent à leurs amis dans
tout le village d'Happville (qui n'était pas un très
grand village).

Le samedi suivant, M. Peabody se retrouva tout seul sur le terrain de baseball, se demandant où étaient les autres. Il vit alors Billy s'avancer vers lui. Billy avait l'air triste.

– Bonjour, Billy. Content de te voir. Mais où est le reste de l'équipe? demanda M. Peabody.

Billy resta silencieux.

– Que se passe-t-il? s'étonna M. Peabody.

Billy garda la tête basse.

– Tout le monde vous prend pour un voleur, dit-il en s'adressant au sol.

M. Peabody avait l'air perplexe. Il ôta son chapeau et se gratta la tête.

– Qui me traite de voleur, Billy, demanda-t-il? Et qu'ai-je donc volé?

– Tommy Tittlebottom et ses amis disent qu'ils vous ont vu prendre deux fois une pomme à la fruiterie de M. Funkadeli sans rien payer, répondit Billy.

– Ah! c'est ça? dit M. Peabody en remettant son chapeau. Eh bien! Allons en parler à M. Funkadeli, veux-tu?

M. Peabody se demande où sont les autres.

« *Tout le monde vous prend pour un voleur.* »

Ils empruntèrent la grand-rue (qui n'était pas une très grande rue) et M. Peabody salua de la main tous les gens qu'il connaissait, mais certains ne lui rendirent pas son salut. Il y en avait même qui faisaient mine de ne pas le voir. Enfin, ils arrivèrent devant la boutique de M. Funkadeli.

M. Funkadeli apparut sur le pas de la porte et dit :

– Que faites-vous ici, M. Peabody? Vous n'êtes pas au match?

– Il n'y avait pas de match aujourd'hui, répondit M. Peabody. Est-ce que je pourrais prendre ma pomme un peu plus tôt que d'habitude?

– Bien sûr, assura M. Funkadeli. Vous la payez chaque samedi matin quand vous achetez votre lait, vous pouvez donc venir la chercher quand bon vous semble. Vous voulez cette belle grosse pomme?

M. Peabody prit sa pomme, sourit et l'offrit à Billy.

– J'aimerais bien accepter cette pomme, M. Peabody, dit Billy, mais il faut que j'aille trouver Tommy pour tout lui expliquer.

– Quand tu le verras, demande-lui de venir chez moi. J'aimerais bien lui parler, moi aussi, répondit M. Peabody.

M. Peabody offre la pomme à Billy.

Lorsque Billy retrouva Tommy, il lui raconta ce qui s'était vraiment passé. Il lui dit également que M. Peabody voulait le voir le plus vite possible. Tommy se précipita et sonna à la porte de M. Peabody, qui vint aussitôt lui ouvrir. Tous deux échangèrent un long regard.

– C'est terrible, M. Peabody, dit Tommy, sur le seuil de la porte. Je n'aurais jamais dû dire ce que j'ai dit, mais j'avais l'impression que vous preniez les pommes sans les payer.

Les sourcils de M. Peabody frémirent légèrement et il sentit une brise tiède souffler sur son visage.

– Les impressions importent peu, Tommy. Ce qui compte, c'est la vérité.

Tommy regarda ses souliers et répondit :

– Je suis désolé. Que puis-je faire pour arranger les choses?

M. Peabody respira profondément et regarda un petit nuage qui passait dans le ciel.

– Voici ce que tu vas faire, Tommy, dit-il. Viens me retrouver sur le terrain de baseball dans une heure, avec un oreiller rempli de plumes.

– D'accord, dit Tommy.

Et il courut chez lui pour y prendre un oreiller.

Tommy sonne à la porte de M. Peabody.

Une heure plus tard, Tommy rejoignit M. Peabody au monticule du terrain de baseball.

– Bonjour Tommy, dit M. Peabody. Suis-moi et apporte ton oreiller.

Tommy suivit M. Peabody jusqu'en haut des gradins en se demandant ce que tout cela pouvait bien signifier.

– Il y a du vent, aujourd'hui, n'est-ce pas ? remarqua M. Peabody lorsqu'ils furent arrivés.

Tommy approuva d'un signe de tête.

– Voici des ciseaux. Maintenant, coupe l'oreiller en deux et secoue-le pour en faire sortir les plumes.

Tommy, déconcerté, s'exécuta. Il trouvait que ce n'était pas cher payé pour obtenir le pardon de M. Peabody. Les milliers de plumes se dispersèrent aussitôt aux quatre vents.

Tommy rencontre M. Peabody au monticule.

Les milliers de plumes se dispersent aux quatre vents.

« *Chacune de ces plumes représente un citoyen d'Happville.* »

Tommy paraissait soulagé.

– C'est tout ce que je dois faire pour arranger les choses? demanda-t-il.

– Non, il te reste encore une chose à faire, dit M. Peabody. Maintenant, tu dois aller ramasser toutes les plumes.

Tommy fronça les sourcils.

– Mais c'est impossible de les ramasser toutes, répondit-il.

– Il est tout aussi impossible de réparer le mal que tu as fait en répandant la rumeur que je suis un voleur, dit M. Peabody. Chacune de ces plumes représente un citoyen d'Happville.

Il y eut un long silence pendant lequel Tommy commença à comprendre ce que M. Peabody voulait dire.

– Je crois que j'ai un gros travail devant moi, conclut-il.

M. Peabody eut un sourire.

– Sans aucun doute, répondit-il. La prochaine fois, ne juge pas les gens aussi hâtivement. Et souviens-toi du pouvoir des mots que tu prononces.

Puis il tendit à Tommy la belle pomme rouge qu'il tenait à la main et prit le chemin de sa maison.

M. Peabody prend le chemin de sa maison.

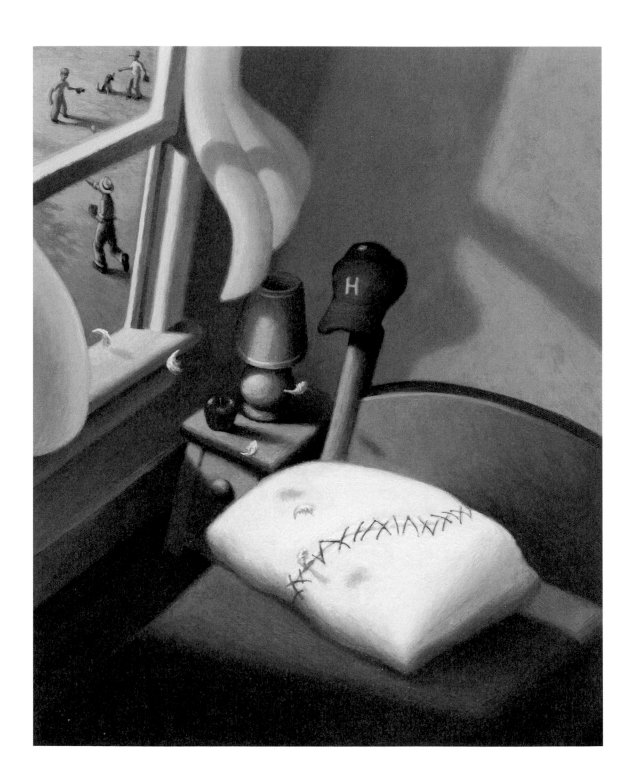

La fin

Pour les enseignants de tous les pays

Ce livre a été inspiré par une histoire datant de près de 300 ans que m'a racontée mon professeur de Kabbalah. J'y ai souvent repensé, et quand j'ai commencé à écrire des livres pour enfants, j'ai décidé de la faire connaître à mes lecteurs.

C'est une histoire sur le pouvoir des mots.
Sur l'importance de les choisir avec soin pour éviter de nuire à autrui.

Le *Baal Shem Tov* (Maître du bon renom), l'auteur de cette histoire, était aussi un grand professeur. Né à Podolia, une région d'Ukraine, autour de 1700, il a consacré sa vie à enseigner et à aider les autres. Estimant que la pratique de la religion par habitude était dénuée de sens, il préconisait une meilleure compréhension des motivations de nos pratiques spirituelles. Il insistait, entre autres, sur l'importance et la valeur de l'amour pour tous.

Je souhaite avoir fait honneur à cette histoire.

MADONNA

Première édition publiée en 2003 sous le titre
Mr. Peabody's Apples
Album conçu par Toshiya Masuda et produit par Callaway Editions, New York

Les pommes de M. Peabody
Copyright © 2003 by Madonna
Copyright © Éditions Scholastic, 2003, pour le texte français.

Traduit de l'anglais par Jean-François Ménard
ISBN : 0-439-97069-5

www.madonna.com   www.callaway.com   www.scholastic.ca/editions/

Toutes les recettes pour cet album de Madonna seront remises
au Spirituality for Kids Foundation.

MADONNA RITCHIE est née à Bay City, au Michigan. Elle a enregistré 16 disques
et a tourné 18 films, dont *Une équipe hors du commun* (*A League of Their Own*).
Elle vit avec son mari, le réalisateur Guy Ritchie, et ses deux enfants, Lola et Rocco,
à Londres et à Los Angeles. Son premier livre pour enfants, *Les Roses anglaises*,
a été publié dans plus de 100 pays en septembre 2003.

LOREN LONG vit à Cincinnati, en Ohio, avec sa femme Tracy et ses deux fils, Griffith
et Graham. Il a enseigné l'art de l'illustration, et ses œuvres ont paru dans de
nombreuses publications, dont *Sports Illustrated* et le magazine *Time*. Il est un amateur
passionné de baseball, et a joué dans une équipe classique pendant des années.

REMARQUE AU SUJET DE LA POLICE :

Ce livre a été composé en Hoefler Text, une police de caractères qui a été
originalement créée pour Apple Computer de 1991 à 1993. Le caractère de titrage est
Hoefler Titling, conçu en 1996 pour compléter la série de caractères Hoefler Text.
Les deux polices ont été inspirées de sources comme Garamond no 3, de Jean Jannon,
et Janson Text 55, de Nicholas Ki, et ont été élaborées par la Hoefler Type Foundry Inc.

PREMIÈRE ÉDITION